HANDBOEKBINDERIJ
ACG
DORP Nr. 2
KONINGIN FABIOLA
DEURNE
TEL. 03/326.49.20

DANN

WAT JE 'S NACHTS ZEGT TUSSEN TWEE STEDEN

OB Beveren
BE608009X

27. 05. 2009

Wat je 's nachts zegt tussen twee steden

Francis Dannemark
Vertaald door Hilde Keteleer

WINTER

I

Aan het eind van de winter is het de zee die met vakantie gaat. Een verzameling grijs, gaande van lood tot dat heldere grijs waarvan zulke mooie blikken worden gemaakt. Grijs en daarna roze aan de horizon, en het onvergelijkelijke blauw van de hemel wanneer de wind de wolkenkastelen uiteenjaagt. En in dat alles: niemand. Alsof een natuurwet alle bijeenkomsten heeft verboden, en alle verenigingen, clubs, kleine en grote legers heeft afgeschaft.

Het is februari. Tussen twee stormen in is het al een beetje lente, en op dit tijdstip, wanneer de ondergaande zon de wereld ter hoogte van de golven verlicht, wordt de zee, die al niet klein is, opeens werkelijk groot.

'Hallo! Hoe gaat het?'

De vrouw die de vraagt stelt is net het strand overgestoken, dat bij laag tij erg breed is. Ze komt bij een man staan die er al voor haar aan de rand van het water naar de zonsondergang stond te kijken.

'Zalig,' antwoordt de man. En hij voegt er glimlachend aan toe: 'Ik voel me licht als een komma in een ondertitel, helemaal onderaan op het grootste scherm ter wereld. Als je wat dichterbij komt kunnen we samen een puntkomma vormen.'

'Is dat een teken?' lacht ze.

'Ja, een leesteken.'

De zon is in zee gevallen. De punt en de komma slenteren weg van het water. In het laatste daglicht raken de man en de vrouw op hetzelfde ogenblik hun wang aan: die is nog een beetje warm, hoewel de wind snijdend is geworden. De man neuriet een jazzdeuntje, zij vraagt hem naar de titel en hij antwoordt: 'Ik weet het niet. Gewoon wat geïmproviseerd op het geluid van de golven. Als ik aan zee ben en het water is kalm, heb ik vaak de indruk, vooral 's avonds, dat er een jazzdrummer heel zachtjes zit te spelen, alleen met zijn brush, en dat je zo meteen een piano, een bas en een sax zult horen. En dus neurie ik in afwachting van het orkest.'

'Denk je dat ze tijdens de plechtigheid jazzmuziek zullen spelen?'

'Dat zou mooi zijn voor een bruiloft, maar het zou me verbazen. Ben je familie?'

'Een vriendin van de bruid. En jij?'

'Een gegijzelde.'

Het huis is een grote, oude villa met zicht op zee. Baksteen en hout, balkons, luiken voor alle ramen. Het soort villa waarin niet vaak meer wordt gewoond, waar de wind doorheen jaagt en de regen zich thuis voelt. Maar de charme blijft, misschien wordt die zelfs nog groter met de tijd. Op plekken als deze kun je dromen over de liefde, of over de dood; discretie verzekerd, want iedereen gaat naar elders, naar warme stranden.

De ouders van het toekomstige paar hebben afgesproken om de bruiloft hier te vieren. Neutraal terrein, maar met herinneringen, mooie momenten uit het verleden, dingen die dateren uit de tijd toen ze zelf nog genoeg jeugd in zich hadden om er een deel van om zich heen te strooien.

'Ik heet Wolf,' zegt de man als ze nog een paar meter van het huis verwijderd zijn. 'De Fransen zeggen gewoonlijk "Volf", maar daaraan ben ik al gewend.'

'Ik ben geen Française, en ik zal er dus geen moeite mee hebben om je naam correct uit te spreken. Ik heet Lena – komt van Magdalena of Helena, je mag kiezen. De vrouwen in mijn familie hadden vaak een van die beide voornamen en ik heb er de helft van gekregen.'

'De mooiste.'

'Je bent aardig,' zegt ze glimlachend, niet op een verlegen, eerder op een licht sceptische toon. 'Is dat de reden waarom ze je hebben gegijzeld?'

De wind is grijs en wit, met scherp gekrijs van de zeevogels die doen alsof ze uit de lucht vallen en met één vleugelslag opnieuw vertrekken. Wolf is gaan zitten op de trap die van het strand naar de villa leidt. Het zand dat zijn schoenen hebben verzameld schudt hij uit in de wind. Hij kijkt naar Lena met half dichtgeknepen ogen. 'Goed geraden,' zegt hij. 'Als je de familie van de bruid een beetje kent, kun je je iets voorstellen bij die van de bruidegom: ze zijn uit hetzelfde hout gesneden. Sympathiek, en altijd bezig orde in de wereld te scheppen. Eerlijk, gewetensvol, netjes – en aardig, wat geen vanzelfsprekende combinatie is.'

'Die twee families kennen elkaar al lang, hè?'

'Al heel lang. Maar dit is de eerste officiële verbintenis, en ze hebben besloten alles volgens het boekje te doen. Ze zijn vast al bezig met de details van de erfenis van de achterkleinkinderen die uit dit huwelijk zullen voortspruiten.'

'Wat een waanzin,' zegt Lena terwijl ze van het huis naar de zee kijkt. Ze zegt het zachtjes, als een simpele vaststelling.

'O, maar ze vinden het leuk, het is een spel. Ze nemen het misschien een beetje te ernstig, maar het is hun manier om zich goed bij elkaar te voelen. Ik denk wel eens dat ze Monopoly spelen.'

'Misschien moeten we hun dat voorstellen?'

'Ach, het is een generatie die nooit veel tijd heeft gehad om te spelen, ze zouden het vervelend vinden. Maar wat was ook alweer je vraag? Ik ben het vergeten.'

'De hoofdstad van Guatemala.'

'Pardon?'

'Ja, ja,' bevestigt Lena. 'Mijn vraag was: wat is de hoofdstad van Guatemala?'

'Weet ik niet.'

'Echt niet?'

'Guadalcanal? Guano?'

'Nee!'

'Is het om er nu meteen heen te gaan of gewoon om het te weten?'

'Voor de lol.'

'Stom, maar ik weet het echt niet. Ik geef het op. Ik geef me lafhartig over.'

'Oké, aanvaard. Maar zeg me dan welk soort gijzelaar je bent.'

'Een aardige gijzelaar. Overigens ben ik uit vrije wil gekomen. Ik ken beide families al vele jaren. Ik heb hier vakanties doorgebracht toen de villa nog van april tot het eind van de zomer vol was. De ouders van de bruid huurden de villa hiernaast, en die twee villa's samen, dat was een dorp op zich. Ik was hun boodschapper, vertrouweling en scheidsrechter. Soms was ik zelfs hun zondebok, maar niet vaak. En nu ze dus beide families officieel kunnen samenvoegen, willen ze allemaal dat het netjes verloopt. Ze willen heden en toekomst regelen, en zelfs het verleden, waaraan niets te regelen valt. Ze willen hun horloges heel precies gelijkzetten en ik denk dat ze op mij rekenen voor het geval er een zandkorrel in dat goed geregelde raderwerk terechtkomt.'

'Raar soort werk,' zegt Lena.

'Ik doe het graag. Als ze kibbelen, hang ik de clown uit. Een rode neus, een striptease op het gemeentehuis tijdens de plechtigheid. Of ik kidnap een non, ik organiseer een uitstapje naar het casino, en we zingen allemaal samen Zuid-Amerikaanse liedjes. Ik zet konijnen in de bedden. Dat soort dingen.'

'Echt?'

'Waarom niet? Ik ben gek op kwajongensstreken. Het is leuk en het verdrijft grote problemen. En bovendien hou ik van deze mensen, anders zou ik hier niet zijn. Ik heb besloten om nog heel lang te leven, nog minstens vijftig jaar. Tegen die tijd ben ik drieëntachtig, en dan zal ik wel zien of het nog de moeite waard is om verder te leven. Maar ik weet nu al dat het leven nooit lang genoeg is om je tijd te verdoen met mensen die je niet aanstaan.'

Lena antwoordt niet meteen.

'We zijn even oud,' zegt ze terwijl ze haar schoenen weer aantrekt.

'Kom, ik nodig je uit,' zegt Wolf en hij steekt zijn hand naar haar uit.

'Waarvoor?'

'Om de avond met onze oude vrienden door te brengen. Het grootste deel van het gezelschap komt pas morgen, het is nog kalm in huis. En als ik me niet vergis hebben ze al alles voorbereid, alles honderd keer doorgenomen, en zullen ze lopen ijsberen. Dus...'

'We zullen hun voorstellen om Monopoly te spelen.'

Hij kijkt haar eventjes aan met een ernstige blik en barst dan in lachen uit.

'Ik zie dat we inderdaad even oud zijn.'

II

Alle tijdelijke bewoners van het huis zijn voor het avondeten bijeengekomen. Twee ouderparen, een handvol broers en zussen, een paar kinderen, neven en vrienden, en Lena en Wolf, de getuigen. De aangrenzende villa is ook gehuurd, net zoals in het verleden: kamers genoeg om iedereen onder te brengen. Morgen is alles van 's ochtends tot 's avonds georganiseerd: gemeentehuis, restaurant, auto's, bloemen... En dus mag de laatste maaltijd voor het grote ogenblik zoetjes en bedaard verlopen. Een generale repetitie voor het feest in een ontspannen tempo. De pruilende zus is op haar kamer gaan pruilen, de neef die zich voor het middelpunt van de wereld houdt, is bezweken aan de calvados en ligt zachtjes te snurken – hij zal later geschminkt als een clown in de regen wakker worden, en niemand, werkelijk niemand zal hebben gezien dat de kinderen alle schoonheidsproducten hebben ingepikt die achter in de laden van de badkamer rondslingeren.

Lena kent haast alle namen, maar ze kent nauwelijks de gezichten die erbij horen. Ze legt Wolf uit dat haar vriendin en zij twee jaar samen in Engeland hebben gestudeerd, dat ze elkaar goed kennen, maar buiten de familiekring, en dat ze elkaar vaak schrijven als ze niet bij elkaar zijn.

En Wolf vertelt haar tijdens het eten zachtjes een paar dingen over alle mensen over wie ze niets weet. Tussen twee grappige verhalen in die beide vaders uitwisselen als balletjes broodkruim, dist hij anekdoten op. Hij glimlacht vaak als hij ze vertelt en hij illustreert ze uitvoerig met zijn handen. Lena fluistert hem een vraag in het oor: 'Ben je dirigent als je geen gijzelaar bent?'

'Nee hoor,' antwoordt hij. 'Maar ik heb vroeger eens twee weken doorgebracht op een bootje, en daar is ongetwijfeld iets van overgebleven.'

'Op een boot?'

'Ja, een boot. Een klein bootje. Met lakens die in alle hoeken gespannen waren en een vijftigtal kilometer koord om die lakens in de goede richting te houden. Toen heb ik het voornaamste om te overleven geleerd: de knopen heel vlug ontwarren.'

Wolf staat op. Hij loopt naar de neef die in een fauteuil is ingeslapen; zijn make-up loopt langzaam uit. Wolf haalt uit zijn zak een pen en een stuk papier, hij krabbelt er iets op en komt terug. Een paar ogenblikken later merken de aanwezigen de kleine affiche op: VERKOCHT, en er stijgt gelach op.

'Hij zag er treurig uit, zo zonder verkoper,' laat Wolf aan het gezelschap weten.

En daarna, aan zijn buurvrouw: 'Verveelt het je?'

'Wat?'

'Mijn voorraadje anekdoten met vrij uitzicht op de maffe of merkwaardige gebieden van de menselijke natuur.'

'Helemaal niet,' zegt ze. 'Echt niet.'

'Dat dacht ik wel,' glimlacht hij.

'Waarom vraag je het dan?'

'Voor het plezier. Van het praten en van het jou horen praten. Mijn moeder komt uit Italië; ze heeft altijd gesprekken gaande gehouden, zoals men vroeger het vuur brandend hield. Toen ik twintig was, ergerde me dat, en nu vind ik het zelf belangrijk.'

Ze knikt, glimlacht en pakt een sigaret uit het pakje dat voor haar ligt en laat die tussen twee vingers glijden. 'Als je dan toch vuur brandend houdt...' zegt ze.

III

De nacht heeft het uiteindelijk gehaald op het geklets en de discussies, op de herinneringen en de plannen. De kamers van de twee villa's hebben zich een voor een gevuld alvorens de een na de ander uit te doven. Wolf sliep nog niet toen tegen drie uur 's nachts ergens in huis de telefoon overging. Zonder nadenken was hij uit zijn bed gestapt, had zich aangekleed en is hij naar de grote zitkamer beneden gelopen. Hij stak een klein lampje aan en begon te snuffelen in een stapel platen, waar hij een album van Art Tatum uit had gehaald. De piano begon net con sordino te spelen toen de moeder van Jean, de toekomstige bruidegom, op haar beurt de kamer in kwam.

'Jij lijkt nooit te slapen, Wolf, hoe doe je dat?'

'Gaat u toch zitten en vertelt u maar wat er is gebeurd.'

De vrouw was bleek, kleine rimpeltjes trilden in haar ooghoeken.

'De bruiloft ligt in het water,' zei ze na een ogenblik.

Daarna legde ze het uit. Jean was gewond geraakt in het hospitaal waar hij werkte. Hij was opgeroepen voor een spoedgeval. Er was een jonge vrouw binnengebracht die een lelijke breuk had opgelopen. De echtgenoot was aangekomen, behoorlijk boven zijn theewater, en hij was begonnen stennis te maken en zijn vrouw te beschuldigen dat ze naar het hospitaal was gelopen om hem makkelijker te kunnen bedriegen. Er kwam ruzie van met Jean, die hem de toegang tot de kamer weigerde. Een messteek. Daarna was de kerel ineengestort omdat hij dacht dat hij twee mensen had vermoord, eerst zijn vrouw en vervolgens de dokter. Niets ergs, had zijn verloofde uitgelegd, Jean zou binnen vierentwintig uur weer op de been zijn, maar hij was erg in shock. Wolf legde zijn arm om de schouders van de moeder van zijn vriend. Een paar minuten bleven ze zo staan, daarna stond Wolf op. Langzaam liep hij door de kamer, stond af en toe stil om de maat te slaan op de hoek van een meubel. Hij gleed met zijn hand over het blinkende meubel en zei dat het lekker rook. 'Bijenwas?' De moeder van Jean glimlachte.

'Jean is moedig geweest, het is een goede kerel,' zei Wolf. 'En hij leeft! Als Claire zegt dat hij binnen vierentwintig uur weer op de been is, dan is dat zeker waar. Dan is alles dus eenvoudig. Het is alleen een praktisch probleem. U, uw man en de ouders van Claire haasten zich naar ginds, u vertroetelt hen wat, maakt hen aan het lachen, doet hen alles vergeten – en u brengt hen mee. De bruiloft is vanmiddag om twaalf uur. We verzetten dus gewoon alles vierentwintig uur. Als u terugkomt, zal alles in orde zijn, we moeten slechts een paar materiële details regelen.'

Op het gezicht van Jeans moeder verscheen een aarzelende glimlach. Ze klampte zich stilletjes vast aan de voorstellen van Wolf.

'Maar het is toch wel vreselijk,' zei ze.

'In de tijd van Al Capone was dit een dagelijkse sport,' antwoordde Wolf. 'En er waren meer doden dan gewonden. Maar u hebt gelijk: natuurlijk is het vreselijk. U hebt echter de keuze: bij het idee blijven dat het vreselijk is, of denken dat het een geluksdag was omdat Jean er goed van af is gekomen. Er is niemand dood en alles gaat goed.'

'Je hebt gelijk, we zullen ze alles doen vergeten en hierheen brengen. En we zullen het feest vieren met toeters en trompetten!'

'Er is evenwel een serieus probleem,' zei Wolf zachtjes glimlachend.

'Wat dan?'

'Uw man is tot zeven uur 's ochtends onmogelijk wakker te krijgen, of hij moet erg veranderd zijn!'

'Nee, het is zelfs erger geworden.'

'Dus zult u tot de ochtend moeten wachten om te vertrekken. En in feite is dat een goede zaak.'

Wolf is weer naar zijn kamer gegaan. Hij slaapt een beetje, een lichte slaap, daarna loopt hij naar de badkamer, doucht lang, gaat koffie zetten in de keuken en doet de luiken open. De zon komt op. De eerste stralen vallen in een hoek van de keuken. Daar zet Wolf zijn stoel. De zon is haast warm. Wolf steekt een sigaret op. Speels laat hij de rook ervan opgaan in die van de koffie.

IV

'S Middags had Wolf al het nodige gedaan. Met Lena en een broer van Claire was hij erin geslaagd alle bruiloftsactiviteiten vierentwintig uur te verdagen. Om tien over twaalf belde Jeans moeder. Kort samengevat: het ging niet goed. Fysiek was Jean weliswaar al in staat om te vertrekken, maar zijn gemoedstoestand was zo somber... Zijn moeder was bang dat hij weigerde te trouwen, Claire wist niet meer wat ze moest doen. Wolf vroeg Claire aan de telefoon – met een paar handgebaren liet hij de rest van het gezelschap weten dat hij rustig met haar wilde praten.

Vijf minuten later riep hij iedereen bijeen: 'De match is nog een keer uitgesteld!'

Een uur brachten ze door met het regelen van de details van wat er moest gebeuren zodat de bruiloft, die nu een week was uitgesteld, de zaterdag nadien normaal kon verlopen. De namiddag werd besteed aan telefoontjes en boodschappen hier en daar. De spanning was gezakt en had plaatsgemaakt voor een mengeling van vermoeidheid en vrolijkheid. Tussen het bezoek aan de burge-

meester en de bespreking met de eigenaar van het restaurant had Wolf tegen Lena gezegd dat hij de hele week ter plaatse wilde blijven, dat hij zou werken maar tegelijk een paar dagen onverwacht verlof wilde nemen.
'En jij?' vroeg hij met een lichte aandrang in zijn stem, zoals een vinger die een vinger aanraakt, haast toevallig.

Toen de avond viel waren ze met een tiental dat elkaar omhelsde en goede reis wenste, afscheid nam tot de zaterdag erop. Sommigen zouden meteen vertrekken, anderen de volgende ochtend. Lena had na een paar telefoontjes de vakantieweek die ze had gepland voor het begin van de lente een maand kunnen vervroegen.

's Nachts vonden Wolf en Lena elkaar terug in de salon. Degenen die de volgende dag zouden vertrekken waren al gaan slapen.
'Er is een hele verzameling jazzplaten,' zei Wolf, 'voel je er iets voor?' – en hij had een selectie gemaakt. Op het eind van een lang stuk van John Coltrane vroeg Lena aan Wolf of ze hem een indiscrete vraag mocht stellen, hij zei ja, en ze had eraan toegevoegd dat hij niet hoefde te antwoorden als hij er geen zin in had.

Lena vroeg zich af of hij niet van plan was om Jean en Claire op te zoeken. Volgens wat Claire hem had verteld, waren Jean en hij oude vrienden, ze waren zelfs boezemvrienden, of toch geweest.

'Dat klopt.'

'Wat klopt er?' vroeg Lena.

‘We zijn oude vrienden: we zijn lange tijd boezemvrienden geweest.’

‘Maar...?’

Lena had haar korte laarzen uitgetrokken en was op een bank gaan liggen. Ze haalde een hand door haar licht krullende haar.

‘Zeelucht is als lijm in haren zoals de mijne,’ zei ze.

‘Als ik mijn handen niet nodig had om te praten, en als het niet nodig was om te praten om je vraag te beantwoorden, dan zou ik er een door je haar laten glijden, om te zien of het waar is.’

Lena barstte in lachen uit. ‘En wat zou je met de andere doen?’

‘Welke andere?’

‘Je andere hand!’

‘Ik zou je de helft van een verhaal vertellen.’

‘Vertel het maar meteen!’

‘Jean en ik,’ zei Wolf, ‘dat is een lang verhaal, net zoals al degene die teruggaan tot de kindertijd. Voor mij begint het nu tamelijk duidelijk te worden, maar ik ben niet zeker of ik het wel duidelijk kan vertellen, en zonder al te onrechtvaardig te zijn. Zal ik het toch proberen?’

‘Als het een vreselijk verhaal is, zal ik alleen naar je stem luisteren. Ik hou van zachte vertelstemmen in een rustige nacht.’

Wolf legt een nieuwe plaat op, en met de muziek van Coleman Hawkins op de achtergrond begint hij te praten. ‘Dit verhaal bestaat al in verschillende versies. Ik heb het mezelf al meermaals opgedist, en stukken ervan aan verschillende mensen. Het heeft me nooit helemaal bevredigd, en ik weet niet of het dat vandaag zal doen.

Maar misschien wel... Sinds vanmorgen, sinds ik hoorde over de gebeurtenissen en ook sinds mijn gesprek deze middag met Jeans moeder en met Claire, denk ik dat ik de laatste, belangrijke stukjes van de puzzel heb. Jean en ik zijn al heel vroeg bevriend geraakt, in de schoolbanken. We woonden in dezelfde straat, we hadden duizenden gelegenheden om elkaar te zien en we wenden ons aan om altijd samen te zijn, en dus niet alleen onze schooluren maar ook onze vrije tijd samen door te brengen. Ik denk dat we er nooit echt voor hebben gekozen om vrienden te worden; het leven zelf maakte die keuze voor ons. We hebben gewoon nooit nee gezegd. We vormden al snel een stel vrienden à la Laurel en Hardy: onze karakters waren heel verschillend, ik was impulsief, gepassioneerd en onverdraagzaam, intuïtief en extravert, en hij was gereserveerd, rationeel en dol op logica, de kampioen van het compromis. Het had tot een explosieve schok kunnen leiden... Maar de jaren gingen voorbij zonder dat we uiteengroeiden, ondanks nieuwe vriendschappen en later verliefdheden. Als vrienden zo erg van elkaar verschillen, kunnen ze een fantastisch team vormen. We begrepen elkaar meteen, zonder eindeloos te hoeven discussiëren.

Het was pas na onze studies dat we verschillend begonnen te evolueren. Onze wegen gingen andere kanten op. Ik heb me in de grilligheden van het leven gestort zonder veel na te denken; hij heeft gekozen voor wijze en voorzichtige oplossingen. Ik ben meer dan eens op mijn bek gegaan. En ik heb me soms erg pijn gedaan. Voor veel mensen ben ik waarschijnlijk lichtzinnig en heb ik tien jaar van mijn leven verspild. Er valt iets te zeggen voor dat standpunt. Maar het is mijn leven: ik moest de dood twee keer onder ogen zien en helemaal alleen komen te staan, zonder geld, zonder werk, om de dingen te gaan begrijpen die mijn vriend Jean al wist toen hij vijftien was.

Toen we elkaar terugzagen was hij nog altijd dezelfde, dat had me moeten geruststellen. Maar omdat hij niet geëvolueerd was, was hij achteruitgegaan. Zo zag ik het althans. Zijn rechtlijnigheid leek me rigiditeit, zijn logische redeneringen leken verstard, en toen ik ze hoorde vroeg ik me af of hij de absurditeit ervan wel vatte: ik zag geen enkel verband met de realiteit van het leven, alleen formele dingen en een heleboel voorgekauwde ideeën. Onhandig als ik was, wilde ik hem door elkaar schudden en hem vragen wat hij in godsnaam had gedaan met zijn levenslust. Ik heb aangedrongen, waarschijnlijk almaar onhandiger, omdat hij meer een broer dan een vriend was.'

Wolf gaat in een fauteuil tegenover Lena zitten, hij steekt een sigaret op en gaat langzaam verder: 'Je kunt mensen niet veranderen, je kunt ze alleen maar helpen als ze het je vragen. En je kunt er zijn, zodat ze het kunnen vragen als ze er behoefte aan hebben. Ik wist dat – en toch ben ik doorgegaan. Ik wilde de loop der dingen forceren. We hebben ruzie gekregen vanwege iets onbelangrijks. En van de ene op de andere dag zagen we elkaar niet meer. Natuurlijk hebben onze gemeenschappelijke vrienden er zich mee bemoeid: zo'n oude en mooie vriendschap verbreek je niet zomaar. Men heeft me – terecht – verweten dat ik te veeleisend was en vooral dat ik geen respect had voor Jean. Ik was zijn vriend, ik kende hem van binnen en van buiten, en ik aanvaardde hem niet meer zoals hij was. Met dat verwijt had ik moeite, ik voelde me echt een smeerlap: hij had me zo vaak geholpen, had zo vaak naar me geluisterd, we hadden zoveel dingen gedeeld, hij met zijn stiltes en ik met mijn gepraat. Maar diep in mezelf was ik het niet eens met de verwijten die ik naar mijn hoofd kreeg. Het was juist vanwege het respect dat ik voor hem had, vanwege al wat ik wist over de levenshonger in hem, dat ik me genoodzaakt had gevoeld om hem door elkaar te schudden, om hem wakker te maken. Een goede kerel die een oude klootzak wordt, dat bestaat. Als ik niet zo erg op m'n bek was gegaan, zou ik zelf een lelijke, armzalige vent zijn geworden. Jean stompte af, en ik kon dat niet verdragen.'

Wolf is stilgevallen. Na een paar ogenblikken zegt hij alleen dat de plaat afgelopen is.

Lena glimlacht naar hem. Ze staat even op van de bank om nieuwe muziek op te zetten. 'Mensen die zich telkens opnieuw betrokken voelen bij al wat hen omringt en die er iets aan willen doen, komen niet altijd goed overeen met de anderen,' zegt ze. 'En ik wed dat je jezelf af en toe verafschuwt, hé?'

'Daar ben ik inderdaad heel goed in. Ik denk vaak aan die zin van Shakespeare: "Ik moet wreed zijn om menselijk te zijn." Waarschijnlijk begrijp ik hem nog altijd niet, maar op een dag zal het me lukken! En voor het overige probeer ik niet voortdurend te vergeten dat iedereen doet wat hij kan met wat hij is, in de tijd en omstandigheden waarin hij leeft. Ik leer om niet meer bang te zijn voor het woord "medelijden".'

'Als ik "A love supreme" eens zou opzetten?' vraagt Lena. 'Ik heb het gezien tussen de platen van Coltrane hier.'

'Ik ben blij dat ik je heb gevraagd om te blijven,' zegt Wolf.

'Ik ben blij dat ik ben gebleven zonder dat je het vroeg,' zegt Lena lief-ironisch.

V

Wolf doet zijn ogen open. Het eerste wat hij ziet is de slapende Lena op de bank. Hij kijkt even naar haar alvorens zijn ogen weer dicht te doen om te kunnen luisteren. De muzikale achtergrond is de zee; daarbovenop komen een luik dat knarst in de lichte windvlagen, de luidsprekers die heel zachtjes kraken, en te midden daarvan de lichte ademhaling van de jonge vrouw. In haar slaap verbergt ze haar handen onder haar haren, en op het ritme van haar ademhaling laat ze telkens één of twee vingers tevoorschijn komen tussen de donkere krullen die een koperen glans krijgen in het lage licht in de kamer. Wolf heeft zin in een sigaret, maar hij wacht, hij komt uit de fauteuil en gaat op de grond zitten, zijn gezicht ter hoogte van dat van de slapende vrouw. Opnieuw doet hij zijn ogen dicht. Als hij ze weer opendoet, ligt Lena hém met grote ogen aan te kijken.

'Heb je goed geslapen?' zegt hij uiteindelijk.

'Heel erg goed,' zegt ze, 'en jij? Hoe laat is het?'

'Te laat om nog naar bed te gaan, en te vroeg om op te staan. Ik blijf hier bivakkeren tot het tijd is om koffie te maken en de anderen wakker te maken. Ze hebben nog een hele reis voor de boeg en ik denk dat ze vroeg op weg willen.'

'Ik blijf hier ook nog wat liggen. In mijn slaap heb ik nagedacht over het verhaal dat je me hebt verteld. Is het afgelopen?'

'Nee,' zegt Wolf.

'Maak het dan af.'

'Wil je dat echt? Goed, dan ga ik weer in mijn fauteuil zitten en ik ga verder. Zal ik je een deken geven, of een jas?'

'Een sigaret en wat muziek,' zegt ze.

'Gedurende een aantal jaren,' begint Wolf, 'heb ik mijn vader nauwelijks gezien. Ik hield van hem en hij van mij – maar we praatten niet vaak met elkaar. Om heel wat redenen was hij meer afwezig dan aanwezig, zowel letterlijk als figuurlijk. We kwamen elkaar af en toe tegen. Nu ik eraan denk, hij is een Duitser, en officieel heet ik Wolfgang. Je kunt er Wolf van maken; maar ook Gangster. Als het leven rustig was, noemden mijn vader en moeder me zo – ik vond dat geweldig. Alleen al daarom had ik van hen kunnen houden. Kortom, mijn vader was leuk maar vaak onzichtbaar. Het leven, dat de kaarten soms op een verbazingwekkende manier schudt, is me te hulp geschoten om dat te compenseren. Ik had geen ooms in de buurt en mijn moeder had geen minnaars. Mijn tijdelijke vader was Jean, mijn vriend Jean, mijn bijna-broer. Als je het zo vertelt, klinkt het doodeenvoudig, maar het heeft jaren geduurd eer ik begreep wat er in feite was gebeurd. Op zijn vijftiende zat Jean al in de categorie "ouders". Alle verboden, regels en reglementen had hij al verinnerlijkt en eerbiedigde hij. Waarom? Het was gewoon zo. En ik was het gewend dat hij zo was, katholieker dan de paus. Hij was dus de meest stabiele van al mijn oriëntatiepunten.'

'En meer vader dan heel wat vaders...'

'Ja, met dit verschil dat ik zijn zoon niet was, maar zijn vriend. Hij liet me dus de wet zien zonder dat ik verplicht was om hem te gehoorzamen. Ik behield mijn vrijheid van denken. Als Jean mijn vader was geweest, had hij me misschien verstikt. Ik weet niet wat er van mij was geworden als hij de autoriteit van een echte vader had gehad. Toen ik dat bedacht, overviel me een soort angst met terugwerkende kracht – en daaruit kwam ook de razernij die onze onenigheid uitlokte. Ik heb hem door elkaar geschud als een zoon die in opstand komt tegen zijn vader, niet tegen zijn vriend.'

'En zo staan de zaken nu?' vraagt Lena.

'Ja. Ik wacht tot de tijd voorbijgaat. Jammer genoeg heb ik dingen gezegd die niet verkeerd waren. Ik word zelden kwaad, maar als ik het ben, ben ik ijskoud en verschrikkelijk brutaal, omdat ik niet lieg. Het is vreselijk om alleen maar de duistere kant te vertellen van de dingen die men over iemand weet. Jean heeft enorme kwaliteiten; het zijn al zijn zwakheden die ik hem onder de neus heb gewreven. En nu moet ik iets doen wat heel moeilijk voor me is: wat tijd laten voorbijgaan zonder iets te ondernemen. Ik wil graag vrede sluiten. Ik wil Jean ook iets teruggeven voor al wat hij vroeger voor mij heeft gedaan. Ik heb hem gekwetst, in de hoop door het pantser te breken waarachter hij zich heeft verschuild.'

'Wat zit je momenteel echt dwars?' vraagt Lena. 'De messteek?'

Wolf komt overeind uit zijn fauteuil. Hij doet de luiken open. Hij zegt dat de dag weldra zal aanbreken. Hij staat voor het raam en begint te neuriën. 'Wat het ongeval gisteren betreft, ja, dat maakt me ongerust. Het is misschien het beste wat er kon gebeuren, misschien het ergste. Ik weet het niet. Als mijn vader hier was, zou hij zeggen dat ik niet veranderd ben, dat ik te veel denk; en dat ik, als ik de dingen naar beste vermogen heb gedaan, ze nu op hun beloop moet laten omdat het niet aan mij is om over het lot te beslissen.'

'Over wie heb je het nu?' vraagt Lena, terwijl ze ook aan het raam komt staan.

'Over mijn vader, mijn echte vader. De man die me Gangster noemt. Een paar jaar geleden hebben we elkaar teruggevonden. Een echt geschenk was dat.'

Wolf glimlacht. Met zijn hand wijst hij naar de plek aan de horizon waar een vaag licht aangeeft dat de zon gaat opkomen. Hij doet de twee vleugels van het raam open.

Hij laat Lena eventjes alleen aan het raam staan. Er is gekraak te horen, daarna een paar maten piano. En als de zon uit het water oprijst, barst de muziek van een heel orkest los, saxofoons en trompetten op kop.

'Je bent een vreemde vogel,' zegt Lena wat later. 'Ik heb je niets verteld, helemaal niets. Jij bent de hele tijd aan het woord geweest en toch heb ik de indruk dat je me kent, dat je weet wie ik ben.'

‘Ik heb veel naar je gekeken,’ antwoordt hij. ‘Ik heb je ingeademd toen je sliep. Dat is alles. Als kleine jongen kreeg ik een toverdoos, een twaalfdelige encyclopedie, het grote sprookjesboek van de hele wereld en de doos van “De kleine scheikundige”: ik heb gewoon alles gecombineerd...’

Lena lacht. Wolf doet het raam weer dicht. Met het accent van een Afrikaanse sprookjesverteller zegt hij: ‘De zeer gulle koning van de stuntels laat overal goud vallen, en van alle koningen is hij de gelukkigste koning...’

‘Van wie is die ode aan de opgaande zon?’

‘I don’t know, dear. Ik heb een erbarmelijk geheugen voor citaten.’

‘En zullen we nu iedereen gaan wakker maken?’

‘Avanti!’

VI

Iedereen is vertrokken. Het strijklicht van de late middag lijkt over de golven te glijden op het ritme van de muziek van het magische trio Bill Evans, Scott LaFaro en Paul Morian. Wolf vraagt aan Lena of ze geen zin heeft om ter afwisseling eens te grasduinen in de collectie klassieke muziek, er is veel keuze, misschien zijn er dingen die ze wel wil horen. Maar nee, ze wil liever naar jazz blijven luisteren.

'Klassieke muziek,' zegt ze, 'is schitterend, maar het is de muziek van perfecte mensen – of van wie perfect wil zijn.'

'Waarom zeg je dat?'

'Misschien omdat ze helemaal gericht is op het einde,' zegt ze. 'Het plezier van klassieke muzikanten doet me soms denken aan dat van de wiskundige op het ogenblik dat hij q.e.d. op het eind van zijn werk kan zetten.'

Wolf denkt even na.

'Ik begrijp wat je bedoelt. Jazz draait in het rond, zoals de vader van een van mijn vrienden zegt – hij is prof letterkunde en in zijn vrije tijd pianist. Voor hem is jazz geen muziek, want muziek is iets wat je eerst opschrijft en daarna uitvoert. Tussen haakjes: muziek "uitvoeren", dat klinkt in mijn oren akelig naar executie...'

Lena glimlacht en gaat opnieuw op haar plekje op de bank zitten. Naarmate ze met haar lectuur vordert, legt ze de getikte bladzijden die op haar dijen liggen opgestapeld op een laag tafeltje. Wolf zit aan de grote tafel, bladert in dossiers, maakt aantekeningen en knabbelt neuriënd op zijn potlood.

'Er is wat van alles nodig,' zegt ze, lang na de laatste woorden van Wolf, 'muziek om te spelen, muziek om te werken, deuntjes voor handen en voeten, en deuntjes voor het hoofd. Ik hou heel veel van de "grote muziek" zoals ze vroeger zeiden, maar ik heb samengewoond met mensen die er een religie van hadden gemaakt, een religie met heel strikte riten. Als je bij een dode waakt, kun je op z'n minst af en toe nog eens huilen; maar met hen naar de sonates van Beethoven luisteren, dat moest in absolute, gewijde stilte. Dodelijk was dat.'

'Jazzliefhebbers zijn doorgaans minder rigide,' antwoordt Wolf. 'Er zijn duizenden versies van "Every Time We Say Goodbye", iedereen heeft waarschijnlijk zijn voorkeur, maar het gebeurt zelden dat er gekibbeld wordt over de "goede" versie. Jazzmuzikanten zijn het trouwens gewend om in speciale omstandigheden te spelen, met een slaande deur, een serveerster die lepeltjes laat vallen, iemand die een verhaal vertelt in het oor van zijn buurvrouw terwijl hij naar muziek luistert. Overigens loopt de dag ten einde, en met praten krijg je je maag niet vol. Als ik je eens uitnodigde om ergens te gaan eten?'

‘Binnen een kwartiertje ben ik klaar,’ zegt Lena.

VII

Lena is teruggekomen met een lange jas aan en een zilveren ring aan de wijsvinger van haar linkerhand.

'Hopelijk heb je niets tegen oude auto's die niet al te snel meer zijn en lawaai maken als een vrachtwagen als je ze start?' vraagt Wolf.

'Lijkt me leuk,' zegt ze.

Om een restaurant te vinden hebben ze een stadje uitgekozen dat een dertigtal kilometers verderop ligt. Onderweg stellen ze vast dat ze nog niet hebben gepraat over hoe ze aan de kost komen, en ze spreken af dat elk op zijn beurt zal vertellen.

Lena heeft geschiedenis gestudeerd. Ze heeft les gegeven, een beetje in Europa en een beetje in Afrika. Daarna verruilde ze Afrika en het lesgeven voor het schrijven van artikelen voor tijdschriften en heeft ze iemand ontmoet die haar voorstelde om mee te werken aan een cultureel programma op een regionale televisiezender die zijn niveau wat wilde opkrikken zonder zijn publiek te verliezen. Helaas weinig kans dus om meer dan een halfuur per week te krijgen, en nooit voor elf uur 's avonds. 'Het is een droom vanwege de vrijheid die je hebt,' zegt ze, 'ik vind het leuk, en ik zal er pas mee stoppen als ik er echt mijn buik van vol heb onderbetaald te zijn; dat is het lot van intellectuelen tegenwoordig, ze betalen om de mogelijkheid te krijgen hun werk te doen...'

Wolf glimlacht. Hij heeft klassieke talen gestudeerd. In het onderwijs heeft hij het maar een of twee trimesters volgehouden. Daarna maakte hij reportages voor een provincieblad, en schreef hij ook de film- en muziekrubriek ervan vol. Hij heeft een paar boeken gepubliceerd, de biografie van een naïeve schilder voor een kunstgalerie en die van een architect die gefascineerd was door het idee bomen te laten groeien in huizen, en bovendien werkt hij aan een essay over crooners en film – en dan zijn er nog de dichtbundels en novellen, die je aan de straatstenen niet kwijt kunt. 'En nu verdien ik mijn brood door rond te wandelen,' zegt hij ten slotte. 'Ik doe opzoekwerk, locaties voor twee vrienden, een vastgoedmakelaar en een architect die verlaten huizen opkopen en restaureren. En daarmee is alles gezegd, of toch bijna alles.'

Lena heeft op de achterbank een grote schoenendoos vol cassettes gepakt.

'In de kofferbak zijn er nog meer,' zegt Wolf, 'en ook onder de stoelen en in het handschoenenkastje. Ik ben altijd bang dat ik op een keer een hele winter zal vastzitten in een sneeuwstorm, en ik denk dat ik het met muziek wel zou uithouden.'

'Je bent een praktisch aangelegde man,' zegt Lena.

'Op mijn manier, ja. In de koffer liggen ook een deken, droge koekjes, een jeu de boules, boeken, een vlieger...'

'Ook een wegenkaart? Dat zou niet slecht zijn, want ik vraag me af waar we zijn.'

'Denk je dat we verdwaald zijn?'

'Het lijkt erop. Of anders draaien we rondjes.'

'In het handschoenenkastje ligt er bij de cassettes ook een kaart van de streek. Maar we zullen de weg wel vinden. Als ik verdwaal, zeg ik tegen mezelf dat ik érgens verdwaald ben. Stom, maar het stelt me gerust.'

In het licht van de koplampen verschijnt de naam van het stadje dat ze zochten, en weldra wijst hij op een pleintje met oude huizen eromheen naar een bord, daar, je kunt er heerlijke visschotels eten. Even later gaan ze aan een tafeltje dicht bij de open haard zitten.

'Dat lijkt wel een trouwring,' zegt Lena.

Wolf kijkt naar zijn hand. Hij doet de ring af, en daarna weer aan. Hij bevestigt dat het een trouwring is, dat hij al heel wat jaren geleden van zijn vrouw is gescheiden, en dat hij de ring misschien omhoudt vanwege de woorden die erin gegraveerd staan. Lena kijkt naar de man die dat alles kalm vertelt, met een zachte stem, en ze wacht tot zijn ogen weer naar de hare terugkeren om hem vragen te stellen die je niet met woorden stelt. En hij, zonder iets te zeggen, zonder zijn glimlach te verliezen, legt twee vingers op haar polsgewricht, zoals je de polsslag meet, nee, zoals je een muntblaadje fijnwrijft om de geur te laten vrijkomen, en ze doet haar ogen even dicht om de minuscule streling nog wat te laten duren.

'Er zijn geen namen gegraveerd in deze ring. Alleen een vraag: "Wie ben ik?" Het was een echte vraag. Ik was nog erg jong toen ik trouwde. Ik ben met iemand samengesmolten – en het was iemand die goed was, ik kan het niet beter uitdrukken. Een man en een vrouw die heel jong en onzeker zijn, vooral als ze trouwen om hun ouders en gezelschap te ontvluchten, dat levert een merkwaardige mengeling op, tegelijk heerlijk en onverdraaglijk. Je smelt samen om te groeien, en op een dag, als je gegroeid bent, ga je onvermijdelijk uit elkaar om lucht en een plek voor jezelf te krijgen... Je gaat uit elkaar of je verscheurt elkaar, en je belandt in een onvoorstelbare eenzaamheid, omdat je tot dan toe altijd eenzaam bent geweest in gezelschap van iemand anders, en omdat je die ander kon vertellen dat je door hem of haar eenzaam was...'

Lena steekt een sigaret op. Ze legt hem in de asbak en legt haar hand op die van Wolf.

'En nu zoek je iemand,' zegt ze, 'en vraag je je af wanneer je de grote liefde zult ontmoeten. Weet je wat dat is, de grote liefde? Hoe groot die is? Op een dag heeft een oude man in een trein me het antwoord gegeven: ze moet zo groot zijn dat je er met zijn tweeën in kunt leven.'

'Precies,' zegt Wolf stilletjes. 'Maar ik vraag me af of dat wel bestaat buiten romans.'

'In afwachting ervan moet je erover schrijven,' zegt Lena. 'Ik voel me goed vanavond, ik ben gelukkig dat ik bij iemand ben die hetzelfde zoekt als ik, dat komt niet zo vaak voor, en als ik niet bang was dat het dom klinkt, zou ik zeggen dat je vroeg of laat, en ik hoop weldra, iemand zult ontmoeten, hoe zal ik het zeggen... iemand van jouw ras. En dan zul je je oude ring afdoen, zonder spijt of verdriet. Dat wens ik je oprecht toe.'

Met zijn kin in zijn hand glimlacht Wolf. Zijn vingers zijn opengespreid over zijn gezicht en Lena kijkt naar het oog dat ingelijst zit in de V van twee lange vingers. Later, nadat ze over hun studies en hun reizen hebben gepraat en zich nog te goed hebben gedaan aan de appeltaart die een rijkelijke maaltijd afsluit, drinken Wolf en Lena koffie, en Wolf zegt: 'En jouw liefdes, vertel me daar nu eens over...', en Lena zegt dat hij gelijk heeft, dat het nu haar beurt is, maar dat het niet makkelijk is.

'Ik heb lang met iemand samengewoond,' zegt Lena, 'en nu is het afgelopen, en hoewel ik diep in mezelf opgelucht ben dat het voorbij is – misschien geef ik me daar wel dankzij jou rekenschap van – valt het me toch zwaar, en ik denk dat ik tijd nodig zal hebben om alles te begraven: de verwachtingen die niet zijn uitgekomen, de mooie dromen die werden gebroken, alles wat ik van mezelf had geïnvesteerd, de inspanningen die ik had gedaan zodat er geen verhaal hoefde te worden verteld, zodat er alleen maar geluk zou zijn, want iedereen weet dat geluk niet verteld wordt. Ik ben nog altijd vol van dat alles, ik ben een beetje...'

Wolf wacht op het vervolg, dat niet komt, of op een traan, daarna zegt hij: 'Bitter?' en ze knikt: 'Ja, een beetje.'

'Neem nog wat koffie,' zegt Wolf, 'sterke koffie, zonder melk of suiker.'

'Ik ben niet moe,' zegt ze op een toon alsof ze een droevige conclusie trekt.

'Maar het is geen koffie tegen moeheid. Het is iets anders. Ooit, in mijn leven dat op een platgebombardeerde stad leek, ben ik bitter geworden – en ik wende aan de smaak van bitterheid. Het is een vergif, het is volgens mij het allerergste soort vergif, omdat je stilaan nergens meer van houdt, niet van jezelf, niet van iemand anders, niet van wat dan ook. Je wordt een grote brok bitterheid, blind en ongevoelig. Lelijk. En op een dag ontmoette ik een oude vrouw die ik moest interviewen. Ze vertelde over haar herinneringen aan de schilder met wie ze had geleefd die toen al een paar jaar dood was en wiens schilderijen flink in waarde begonnen te stijgen. Een ideaal onderwerp voor de sombere kerel die ik aan het worden was. Maar zij heeft me wakker geschud, ze stopte plotseling midden in een antwoord op een van mijn vragen en zei: "Ogenblikje, u bent het die op dit ogenblik ongelukkig is, niet ik!" En het was waar, ik projecteerde mijn bitterheid op alles om me heen. Ze zei dat ik mocht huilen als ik droevig was en dat ze allerlei spulletjes had die ik mocht kapotgooien als ik kwaad was, maar dat alles beter was dan bitter zijn. Als je nood hebt aan bitterheid, voegde ze eraan toe, wat soms gebeurt, kun je zwarte koffie drinken, en bovendien nog wat donkere tabak roken als het nodig is. Ik heb dat recept onthouden. En ik heb maandenlang veel koffie gedronken. Nu drink ik er minder, en ik kies een mildere soort, met slechts een vleugje bitterheid – het is ook geen wonde meer, alleen nog een licht litteken, en wie heeft dat niet?'

De traan in Lena's ooghoek begint te rollen, en Wolf wacht tot hij haar kin bereikt om hem op te vangen met het topje van zijn wijsvinger. 'Een lieveheersbeestje,' zegt hij, en Lena glimlacht, en glimlachend zegt ze: 'Oké, koffie dus, twee om te beginnen, en daarna zien we nog wel.'

'Gedurende een aantal jaren was alles goed,' zegt ze, 'minstens drie jaar, en ik weet niet wat er toen gebeurd is, het leven veranderde, ik bedoel: er kwamen moeilijkheden opduiken, problemen op het werk bij hem en bij mij, we moesten kiezen voor werk of woonplaats, zoals dat zo vaak bij zoveel mensen gebeurt. Ik ben van werk veranderd, hij niet. Zijn positie verslechterde stilaan, de mijne verbeterde. Dat was althans wat hij zei, dat alles mijn richting uitdraaide, en niets die van hem. Pas achteraf realiseerde ik me dat het niet waar was: ik had net zoveel problemen als hij, maar ik relativeerde ze, ik zei tegen mezelf dat het een slechte periode was waar ik door moest. Je hebt gelijk: bitterheid is het allerergste gif. Hij werd bitter. Hij had altijd al een speciaal karakter gehad, het soort man dat helder inziet dat er een probleem is maar zich niet kan inbeelden dat hij er iets mee te maken heeft. Jarenlang waren er geen grote problemen in ons leven geweest, en al die tijd was zijn slachtofferhouding aanvaardbaar, soms zelfs grappig. Haast een kinderlijke grap. "Ik was het niet, mama, het waren de marsmannetjes." Later was het niet grappig meer. Hij zei het niet, maar de marsmannetjes, dat was ik. In die periode bracht het lot een stel vrienden in onze buurt die we uit het oog hadden verloren, ze waren aardig, het soort mensen dat de wereld blij gezind tegemoet treedt, en dankzij hen vond ik mezelf terug en mijn verlangen om vooruit te gaan in plaats van te blijven wachten op het eind van de wereld. Met vier lukte het. Met twee was het moeilijker. Op een dag, of nee, op een nacht werd ik wakker, ik kon niet meer inslapen, ik was niet angstig, nee, heel rustig, en alles was rustig, de wind blies door het raam de geur van nat gras naar binnen, het maanlicht in de kamer was zacht, en ik keek naar de man die naast mij lag te slapen, ik hield van hem, daar was ik zeker van, maar om van hem te blijven houden moest ik zoveel inspanningen doen en zo vaak vergeten wie ik zelf was en waarvan ik hield. En toen kwam de vraag in me op die ik mezelf nooit had willen stellen: hij of ik? – want dat betekende dat ik niet meer dacht "hij en ik", en zeker niet "wij". Toch koos ik er die nacht voor om verder te gaan. En ik verschoof mijn kinderwens naar later, zonder het minste verlangen om er met hem over te praten, om de zaken niet nog moeilijker te maken.'

Lena pakt haar kopje, wil een slok koffie nemen maar het kopje is leeg, ze zegt: 'O!' en Wolf schuift het zijne naar haar toe, ze drinkt een beetje, glimlacht om hem te bedanken en gaat verder met haar heel lange zin.

'Een maand later stortte de wereld in: hij verliet me. Hij gaf er geen uitleg bij, het was gewoon zo, eindelijk had hij zich kwaad gemaakt, op mij, op de hele wereld – vooral op zichzelf, denk ik. En ik heb mijn koffers gepakt en ben als eerste vertrokken. Toen ik het huis uitliep, zei hij: "Je zult zien, uiteindelijk is dit beter voor jou, als je plus en min optelt heb je nul, je bent te goed voor een kerel zonder humor als ik." Ik heb geprobeerd te glimlachen, het was te gek, het leek wel een grap, maar hij werd heel zacht en ernstig en hij zei: "Glimlach nu eens voor één keer niet." Zo zijn we uit elkaar gegaan en ik heb lang, heel lang niet meer geglimlacht.'

Ze zwijgt en kijkt naar het hout dat opvlamt in de schouw en naar de rook van de sigaret waarmee Wolfs vingers spelen.

'Dat is jammer,' zegt hij, 'want hij is heel mooi, je glimlach. Je hebt prachtige lippen, en tanden die speciaal gemaakt lijken om in fruit te bijten.'

'Je bent lief,' zegt ze.

'Ik zeg altijd wat ik denk. Op sommige dagen komt dat beter over dan op andere. Zal ik nog wat koffie bestellen?'

Lena zegt dat het niet meer nodig is, ze zou nu liever een groot glas water willen, spuitwater, en wanneer de twee glazen komen, versierd met een schijfje citroen, heft Wolf het zijne op.

'Het leven sprankelt subtiel,' zegt hij.

'Dat is een mooie slogan,' zegt ze terwijl ze haar glas, dat al half leeg is, neerzet.

'In ieder geval een sympathiekere dan "Mijn geld is iemand"...'

'Bestaat die echt?' vraagt ze.

'Vorige week in de stad gezien, op reclameborden van vijftig vierkante meter. Een geweldige slagzin, hij behoeft geen commentaar: je weet meteen in welke wereld je leeft.'

'Reclame van een bank?' vraagt Lena.

'Inderdaad. Maar ik probeer me voor te houden dat het om een vergissing gaat, anders krijg ik werkelijk zin om mijn steun aan anarchisten te geven – en geld, zodat ze opnieuw bommen kunnen kopen. Natuurlijk zou het niets uithalen. Alleen de tijd kan een oplossing brengen, wanneer genoeg mensen echt hebben geleden door zo stom te zijn. Zullen we opstappen? Het is een mooie nacht buiten, met maan, sterren, een grote stilte en wind – een complete nacht, met alles erop en eraan.'

Lena gaat eventjes naar achter.

'Hoe laat zou het zijn?' vraagt ze als ze terugkomt.

En Wolf antwoordt dat hij geen idee heeft, dat het juist die ene week in het jaar is dat de tijd verlof neemt.

VIII

De witte kiezels van de laan knarsen onder de trage passen van de man en de vrouw die naar de lucht kijken terwijl ze lopen. Hij zegt dat het mooie weer nog een paar dagen zal aanhouden, dat het haast een wonder is – alsof ze opeens het seizoen hebben verwisseld, en wanneer Lena vraagt of alles klaar is voor de bruiloft, of er de volgende dag geen boodschappen meer hoeven te worden gedaan, andere stappen ondernomen, mensen verwittigd, antwoordt hij niet meteen maar blijft hij naar de lucht kijken, en uiteindelijk zegt hij op een zo neutraal mogelijke toon:

'Jean en Claire op de hoogte brengen, dat is alles.'

'Van wat?'

'Hun vertellen dat alles klaar is, dat we alleen nog maar een bruidspaar nodig hebben om de machine op gang te brengen.'

Lena vraagt hem of alles wel in orde is, en hij antwoordt dat alles prima gaat, werkelijk, behalve dat hij het idiote, nergens op gestoelde gevoel heeft dat het huwelijk niet zal doorgaan. 'Dat komt door ons gesprek,' zegt ze, 'we hebben gepraat over dingen die eindigden, en niet bepaald over daverende successen...'

Maar Lena maakt haar zin niet af. Wolf heeft zijn lippen op de hare gedrukt. Ze kussen elkaar lang, daar in de laan, en lang strelen ze elkaars hals en handen, en hun vingers maken tekeningen op hun gezichten, zoals dat al eeuwenlang gebeurt bij bepaalde vertegenwoordigers van het menselijke ras in bepaalde omstandigheden. Ze omhelzen elkaar en kruipen daarna in de auto met de luide motor – maar nu horen ze hem niet meer. Ze rijden zonder de zachtheid van het ogenblik los te laten, dat ogenblik dat er maar even is en waar toch geen eind aan komt.

IX

Terug naar de villa. Nog nacht, nog geen spoor van ochtend. 'We moeten gaan slapen,' zegt Lena midden in een zucht. 'Ja,' antwoordt Wolfs stem. Hij brengt zijn lippen op de vingertoppen van de jonge vrouw en wenst haar goedenacht.

Twee deuren gaan dicht, er gaat een lamp uit en daarna een andere, op het tijdstip dat de verzamelde zeevogels op het strand de oude nacht beginnen te vermengen met de nieuwe dag.

X

Het is twee uur 's middags wanneer Lena in de keuken komt, waar ze Wolf vindt. 'Ik heb zelden zo genoten van mijn slaap,' zegt ze geeuwend en met wijd gespreide armen. Daarna zegt ze: 'Dank je.' Wolf vraagt waarom en zij glimlacht.

'De mooie avond, en...'

'En de goede muziek,' zegt hij, en hij loopt de keuken uit om even later terug te komen met de saxofoon van Stan Getz en de stem van Astrud Gilberto.

'Heb jij ook goed geslapen?'

'Heel goed. En daarna heb ik wat gewandeld op het strand. Het lijkt weer een mooie dag te worden. Perfect om te gaan wandelen, als je daar zin in hebt. Na mijn ochtendtrip heb ik een brief herlezen en verbeterd die bedoeld is als een antwoord op een enquête over Europa en over het geluk in de westerse beleving. Omdat ik sympathie heb voor de redactie van het kleine tijdschrift dat de enquête uitvoert, heb ik geantwoord, maar het is niet echt mijn ding, dit soort tekst. En ik heb veel zin om hem te vervangen door een aardig kattebelletje waarin ik me verontschuldig en zeg dat ik niets te vertellen heb.

Maar ik weet dus niet goed wat ik zal doen.'

'Als je me die brief eens liet lezen?' stelt Lena voor.

'Ja, zal ik dat doen?'

'Tuurlijk. Als ik met vakantie ben, lees ik graag 's ochtends een krant. Zelfs als de tekst zo slecht is als jij meent dat hij is zal hij wel niet slechter zijn dan wat je hier en daar in de pers leest, denk je niet?'

'Oké, hier gaat-ie dan,' zegt Wolf. 'De oude Grieken beschouwden het autoriteitsargument als van generlei waarde. Ik ben ervan overtuigd dat ze gelijk hadden en dat je alleen maar mag spreken over wat je werkelijk kent, en je terrein niet mag verlaten om over alles en iedereen een mening te spuien. Overigens: als het klopt dat alles in alles is, kan het oordeel van een wielrenner over het beheer van de nationale begroting evenveel waard zijn als dat van een minister van Financiën. Omdat ik geen van beiden ben, zal ik het dus niet hebben over de begroting en over de staat van de wegen. Maar ik zal iets zeggen over Europa. Eén ding staat vast: Europa is oud. Het doet me denken aan een oude man die zich concentreert en die zijn krachten verzamelt om weer overeind te komen. Een laatste keer? Of om opnieuw te gaan lopen? Hoe kunnen we dat weten? Ik heb het gevoel dat ik tot een wereld behoor die op zijn einde loopt; dus tot een nieuwe wereld die eraan zit te komen. Hoe weinig het racisten en nostalgici van de zuiverheid ook zal bevallen, ik denk dat het nieuwe bloed van elders moet komen. Uit Afrika. Uit Azië. Uit Zuid-Amerika. Hier zijn de mensen uitgeput door al hun angsten: angst voor zichzelf (alle innerlijke ravijnen die de psychoanalyse niet dempt), angst voor de ander, angst voor ziekte en verkeersongevallen, angst voor kernongevallen, angst voor voedsel en zonnestralen, angst voor koopkrachtverlies, angst voor de belastingen, angst voor te veel werk, angst voor werkloosheid, angst voor de oude dag, die lang en somber zou kunnen zijn, angst voor het heden en angst voor de toekomst, angst van allerlei aard, groot en klein, scherp of stekend. Angst voor het leven. Angst voor de angst. Welnu, angst maakt gespannen en verlamt. We moeten ons mengen onder mensen die van elders komen en die jonger en enthousiaster zijn. We moeten onze deuren voor hen opendoen. We moeten ze niet met gebogen hoofd achternalopen, maar we moeten naar hen luisteren. En vooruitgaan, want je kunt de klok niet terugzetten, niet voor de mensen en niet voor de werelden die ze bouwen.'

Lena schenkt zich nog een kop koffie in en ze sopt er een stukje brood in waarop ze boter heeft gesmeerd.

'Dat is lekker!' zegt ze, 'en je tekst bevalt me.'

Wolf kijkt haar een beetje ongerust aan.

'Ik ben bang dat ik nog te naïef ben geweest,' zegt hij. 'Omdat ik dat echt wel ben, op mijn manier, met mijn enthousiasme en mijn kinderlijke driftbuien. Je hebt er geen idee van hoe slecht ik me heb gevoeld in het intellectuele milieu waarin ik me bewoog. Slecht op mijn plaats. Buiten spel.'

'Ik snap het,' zegt Lena, 'heus, ik snap waarover je het hebt. Ik, ik droom ervan om, als ik wat geld heb gespaard, een kleine Cessna of een Piper Apache te kopen en heel ver hiervandaan een luchttaxi te beginnen. Het is jouw wereld niet, die van de leiders, arbiters en autoriteiten, ik ben er zeker van dat je niet op hen wilt lijken, en je zult ook nooit op hen lijken.'

Ze zwijgen een ogenblik en daarna gaat Wolf verder: 'Het lukt me niet meer om, zelfs maar oppervlakkig, op te schieten met mensen die een rol spelen, die in een wereld van imago's leven. Ze jagen me angst aan. Ze geven me een gevoel van verschrikkelijke eenzaamheid. Vorig jaar heb ik de uitgever van mijn gedichten teruggezien toen ik hem ging opzoeken met een nieuwe bundel die ik hem wilde voorleggen. Wat hij toen zei, heeft me ontzettend geraakt: "Je zult het wel merken met het ouder worden, jongen, de meeste mensen zijn stereotypen, er wordt hun een innerlijke wereld toegedicht die ze niet hebben. Daarom hebben we de literatuur zo hard nodig. Als je dat talent hebt, blijf schrijven. Schrijvers geven de mensen een leven dat ze zonder hun boeken niet zouden hebben. En dat leven is rijker, mooier en gevarieerder dan wat men het echte leven noemt. Veel waardevoller ook."'

Lena kijkt naar Wolf. Ze denkt dat hij er op dat ogenblik echt als een wolf uitziet. Natuurlijk zal ze het hem niet zeggen. Ze glimlacht omdat ze denkt dat hij het weet en dat hij liever stilte heeft.

Hij zet een nieuwe plaat op en zegt dat de dingen die je echt wilt, uiteindelijk ook gebeuren, als je de oude Chinese wijsgeren mag geloven. 'En zinnen met het woord "verlangen" erin moeten altijd in overweging worden genomen,' voegt hij eraan toe terwijl hij terugkomt in de keuken. Lena leunt met haar elleboog op de vensterbank. Hij komt naast haar staan.

'Het is zo mooi,' zegt hij, 'en de kleinste wolk maakt op mij meer indruk dan een kasteel, het is de mooiste architectuur ter wereld.'

'En kijk: de zee heeft vier kleuren.'

Wolf gaat met zijn hand door het haar van Lena die in de verte kijkt naar de plek waar hemel en aarde elkaar raken. Met één vinger streelt hij haar huid, heel langzaam. Witte wolkjes verzamelen zich rond de ondergaande zon.

'Net het buikvel van een jonge luipaard,' mompelt Wolf.

'Kom,' zegt Lena, en ze trekt hem in de richting van de trap.

De kamer. Het grote bed. Stilte. Midden in de nacht, midden in een streling, vindt Wolf even een paar woorden terug. 'Ik had een eeuw liefde in te halen,' zegt hij, 'en jij geeft me zin om nog een eeuw voorschot te nemen.' Lena doet haar ogen dicht. 'Oké,' zegt ze.

XI

Zoals de wijzers van een horloge in een gouden cirkel waarin het altijd middernacht is nemen de lichamen van Wolf en Lena elkaars vorm aan.

‘Ik sterf van de honger, hoe laat zou het zijn?’ vraagt Lena zachtjes.

‘Het lijkt dag te worden,’ zegt Wolf.

‘Ik ga wat knabbels zoeken. Blijf liggen, ik kom eraan.’

Al snel komt ze terug met een paar koekjes en een fles water.

‘Het wordt geen dag,’ zegt ze.

‘Een wilde staking?’

‘Dat weet ik niet. Maar in ieder geval wordt het geen dag, maar nacht! Ik heb goed gekeken: het is het eind van de dag, geen ochtend.’

Wolf zet het plateau naast het bed.
‘Dat is heel subjectief,’ zegt hij terwijl hij Lena, die naast hem is komen liggen, op de rug streelt, ‘maar hoewel we hem niet voorbij hebben zien gaan, was het een erg mooie dag.’

'Dat vind ik ook, Gangster.'

En heel wat later, als de dag werkelijk aanbreekt, zal ze zeggen dat ze nooit had gedacht dat ze twee nachten samen zouden doorbrengen. Hij zal haar lang aankijken zonder iets te zeggen, zonder te glimlachen, zonder te bewegen. Daarna zal hij zijn glimlach terugvinden, en een paar woorden: 'Toen je zei: "Eén keer en nooit weer," heb ik iets geantwoord.'

'Je hebt "ja" gezegd.'

'En ik heb eraan toegevoegd: "Maar zonder ons te haasten. De tijd is een vriend vandaag".'

'Dat was waar.'

'Het is altijd waar,' zal Wolf zeggen. 'Maar het is een vriend die de hele tijd beweegt en wij volgen niet altijd zijn ritme.'

XII

'S Middags hebben een vrouw en een man strandstoelen uitgeklapt op het terras van een villa. Ze laven zich aan de februarizon die schijnt alsof het hartje zomer is.

'Ik voel me goed,' zegt de vrouw. 'Ik voel me ontzettend goed, en verrast ook. Het leven is deze dagen zo makkelijk, ik ben dat niet meer gewend, ik weet dat we zullen moeten vertrekken en... o, hoe heet dat stuk?'

'*Off minor*,' antwoordt Wolf. 'Ik ben gek op deze muziek; luister eens naar de twee tenorsaxen die samen spelen!'

Als het stuk is afgelopen, vraagt ze wie het was.

'Het waren twee meesters, de oude en de nieuwe. Coleman Hawkins en John Coltrane, samen met een andere tovenaar, Thelonious Monk.'

Lena kijkt naar het boek dat Wolf leest, een oude pocket met een vergeelde kaft.

'Ik heb de films gezien,' zegt ze, 'maar ik wist niet dat die naar romans waren gemaakt.'

'Ik heb ze allemaal gelezen, en meer dan eens. Alle avonturen van Don Camillo. Giovanni

Guareschi is een van mijn favorieten. En je weet niet half hoe gelukkig ik ben dat ik hier in de bibliotheek eentje uit de reeks heb teruggevonden. Toen ik twaalf was, hield ik evenveel van Guareschi als van Balzac, die ik bezig was te ontdekken. Toen ik achttien was, begreep ik dat je er beter over kon zwijgen. Bob Morane, Don Camillo, Philip Marlowe en nog zoveel anderen hadden geen recht van bestaan in de literaire wereld. En dus heb ik een hele poos gezwegen. En daarna ben ik weggegaan. Ik kon niet meer tegen dat kleine wereldje waarin je niet tegelijk gefascineerd kunt zijn door *Lolita* van Nabokov en door Miss Ylang-Ylang. Maar het doet er niet toe, luister eens naar deze zin die ik net heb teruggevonden: "Wie denkt dat hij kan besparen op het daglicht om zich 's avonds te verlichten is een dwaas." Hij komt niet van een grote naam uit de literatuur, maar hij heeft me lange tijd als een amulet begeleid. Misschien komt daar mijn uitgesproken voorkeur voor eenvoudige wijsheid, het zelf uitzoeken en het sceptisch optimisme wel vandaan.'

'Wat is een sceptische optimist?'

'Ik zal je antwoord geven als jij eerst mijn vraag beantwoordt,' zegt Wolf. 'Wat ga je doen als er nu iemand aankomt en je hier naakt ziet liggen roken in de februarizon?'

Lena glimlacht zonder haar ogen open te doen.

'Dat zal niet gebeuren, er is hier niemand in de winter, zelfs niet als het zo'n mooi weer is als vandaag. Geen schijn van kans dat er hier iemand aankomt. Maar goed, stel dat het toch zou gebeuren, dan zou ik me verstoppen achter je boek...'

'Je bent een sceptische optimist, Lena.'

Ze doet haar ogen open, komt overeind en omhelst hem. De wind doet haar lichtjes rillen.

'Ik kleed me aan en we gaan een wandeling maken, goed? Maar waarom kijk je me zo aan?'

Wolf heeft één oog dichtgedaan, hij kijkt haar aan met het andere. Hij is onbeweeglijk en aandachtig. 'Ik zal je nooit vergeten,' zegt hij, ernstig en zachtjes.

Lena weet niet wat ze moet zeggen, ze gooit eruit: 'Ik ben er zeker van dat jij nooit iets vergeet,' alvorens in huis te verdwijnen terwijl Wolf met een sigaret op haar wacht en kleine wolkjes maakt tegen de achtergrond van de blauwe lucht.

XIII

Een uur later, op het strand. Wolf wijst met zijn vinger naar donkergrijze wolken. 'Er komt regen aan,' zegt hij, 'we kunnen beter onze regenjassen gaan halen voor we onze wandeling vervolgen.'

In de villa blijft de telefoon maar rinkelen, Wolf doet snel de deur open en neemt op. Hij luistert lang, antwoordt met ja en nee, en zegt ten slotte dat hij op het eind van de dag zal vertrekken, dat hij 's nachts thuis zal zijn en 's ochtends zal aankomen bij de persoon die heeft opgebeld.

'De bruiloft is afgelast,' zegt hij.

Lena wil alles weten, hij zegt dat hij het onderweg zal vertellen. 'We zullen naar de haven rijden en daar wat wandelen, ik vertrek vanavond.'

Een paar minuten later rijden ze op de kustweg en vertelt hij aan Lena wat hij zojuist van Jeans moeder heeft gehoord. De vader van zijn vriend zal alle dingen regelen die kunnen worden geregeld, en alles annuleren met de minst mogelijke schade.

'Is Jean er zo erg aan toe?'

'Het is hij niet die niet meer wil trouwen, het is Claire, ze heeft gewacht tot hij gekalmeerd was en heeft toen gezegd dat het genoeg was voor haar, dat ze de kosten stopzette. Je kunt je wel voorstellen wat een donderslag bij heldere hemel dat was... Ze dachten dat Claire in de war was door het ongeval, maar nee, ze was in feite blij, want ze had twijfels, en nu zegt ze dat die niet meer heeft: ze houdt nog altijd van Jean maar ze wil niet samenleven met iemand die zijn leven organiseert alsof hij er een museum van wil maken. Iemand had gesuggereerd dat ze maar een paar dagen ergens op een kalme plek moest gaan bekomen. Dezelfde avond nog, of beter gezegd midden in de nacht, heeft ze haar koffer gepakt. Volgens zijn moeder had Jean Claire voorgesteld om een slaapmiddel te nemen zodat ze een rustige nacht zou hebben, en had ze toen iets geantwoord als: "Je hebt er niks van gesnapt, hè?" en twee uur later was ze ervandoor, terwijl Jean, die een paar pillen had ingenomen, sliep als een os.'

Lena glimlacht, daarna zegt ze: 'Dat is een zenuwlach, let er maar niet op, vertel me de rest.'

'Veel meer valt er niet te vertellen,' zegt Wolf terwijl hij een rare grimas trekt. Behalve dan dat Claire is afgenokt met een ex-vriend, 's ochtends naar Jeans ouders heeft gebeld en hun toen ze haar vroegen wat ze van plan was, kalmpjes heeft gezegd...'

Wolf schiet in een lach, hij kan zijn zin niet afmaken.

Lena vraagt: 'Wie is dat, die ex-vriend? Léo?'

'Ja, het is een kerel die Léo heet, ken je hem?'

'Een beetje, ja,' antwoordt Lena met een brede glimlach. 'En wat zei ze dat ze met Léo ging doen?'

Wolf zet de auto stil aan de kant van de weg, hij keert zich naar Lena. 'Vrijen,' krijgt hij eruit. 'Dat is het enige wat ze heeft gezegd: "Vrijen".'

Lena barst in lachen uit, ze verbergt haar gezicht in haar handen en moet nog meer lachen, en Wolfs lach is een echo van de hare. Ten slotte vallen ze stil, met nog een paar tranen in hun ooghoeken.

'Ik schaam me,' zegt Lena.

'Ik niet zo erg,' antwoordt Wolf.

'Léo,' legt Lena later uit, 'ken ik een beetje, hij is een sympathieke jongen, altijd opgewekt en vol gekke ideeën. Drie jaar geleden heeft hij Claire voorgesteld om met hem samen te leven maar hij moest naar ik weet niet welk land om daar ik weet niet wat te gaan doen. Claire was bang, haar ouders hebben haar tegengehouden, en tja, zo gaat het in het leven, Jean heeft haar getroost. Heeft hij je dat niet verteld?'

'Jean vertelt niet vaak over zichzelf. We zagen elkaar toen al niet zo vaak meer, en hij praatte meer over zijn baan, helemaal niet over zijn privéleven. Zoals altijd. Jean is zo gesloten als een oester. Zowel over goede als over slechte dingen. Een vriendin van ons herinnerde hem een keertje aan iets wat we hadden gehoord in een film die we samen hadden gezien: "Mensen die hun gevoelens niet uiten, verdienen niet dat ze er hebben." Dat was heel hard en onrechtvaardig.

Jean liet zich niet uit het veld slaan, hij antwoordde: "Juist. Bovendien heb ik ze ook niet," en het gesprek stokte, gelukkig maar, of juist niet, ik weet het niet...'

'Wat een knoeiboel! Ik lach wel, maar het is helemaal niet grappig, ik zou nu wel willen huilen, het leven is een gekkenhuis.'

Wolf heeft de motor opnieuw gestart. Hij draait aan de volumeknop van de cassettespeler en neuriet de eerste woorden van het trage jazznummer mee: *The shadow of your smile when you are gone...*, een paar regendruppels hebben strepen getrokken in het stof van de voorruit en de zon komt aarzelend weer tevoorschijn.

Wolfs stem is kalm, heel zacht. Hij vraagt aan Lena of het werkelijk allemaal zo erg is, dit hele verhaal. Ze zwijgt even en zegt dan: 'Nee. In feite niet. Maar op dit ogenblik zitten we nog niet aan de kern, we bevinden ons aan de oppervlakte, in het oog van de storm.'

'Wie bedoel je met "we"?'

'Claire, Jean, hun ouders. En ik. En jij. De vrienden, de familie.'

Wolf pakt haar hand en brengt die naar zijn lippen voor een zoen.

'Stormen duren niet eeuwig.'

De weg draait voortdurend. Soms is de zee te zien, soms zijn het bomenrijen of een paar huizen, en de auto rijdt langzaam, gestaag, ogenschijnlijk zonder ander doel dan het ritme van de muziek te volgen die Wolf in plaats van de jazz heeft gekozen. '*Dood in Venetië*,' zei Lena toen ze de muziek van Mahler hoorde.

Later bereiken ze het haventje waar ze willen gaan wandelen. Ze hebben niets meer gezegd vanaf het ogenblik dat de trage, mooie en indroevige muziek begon te spelen, al de melancholie van de wereld. Daarna klikt het kort, de cassette is afgelopen, automatisch begint de radio weer te spelen, een vrouwenstem duikt op in de auto om nog meer mooie dagen aan te kondigen, uitzonderlijk zacht voor de tijd van het jaar, met alleen af en toe wat regenbuien...

'Ik heb geprobeerd de wereld te veranderen,' zegt Wolf, 'en natuurlijk is dat niet gelukt. Ik blijf het af en toe proberen, gewoon omdat ik zo in elkaar zit, omdat het mijn aard is, mijn opvoeding, misschien zelfs een gewoonte. Maar mijn standpunt is wel veranderd. Als je, zoals ik vroeger deed, vertrekt vanuit de overtuiging dat de wereld van nature in orde is en goed georganiseerd, zie je alleen maar: alles gaat achteruit, wordt almaar erger. Nu probeer ik de wereld te nemen zoals hij is: chaotisch en het ongeplande product van een samenloop van omstandigheden, waarvan je op z'n hoogst kunt zeggen dat je er nog altijd niets van snapt. De wereld is niet redelijk: hij accepteert onze spelregels niet. Ik ben er zeker van dat er in elk menselijk brein nog altijd een rest zit van de angst voor al wat eromheen leeft; het is de herinnering aan vroegere tijden toen de mens nog de directe prooi was van de hele natuur – tijden waarin hij stellig de indruk had dat de wereld het op hem had gemunt. Hij heeft geluk gehad, hij heeft het gered terwijl de dinosaurussen het loodje moest leggen. Hij heeft het gered, maar het lijkt erop dat veel individuen nog rekeningen te vereffenen hebben.'

Wolf onderbreekt zichzelf opeens: 'Sorry, ik wilde geen redevoering houden. Ik doe dat gemakkelijk als ik me wat verloren voel.'

'Dat had ik al gemerkt,' antwoordt Lena rustig.

Hij haalt de cassette met de muziek van Mahler eruit en stopt een andere in de gleuf, piano en gitaar.

'Laat me raden,' zegt Lena, 'Bill Evans op de piano, maar op de gitaar weet ik het niet.'

'Jim Hall. Zullen we koffie gaan drinken?'

De haven ligt vol kleine bootjes, er wordt verse vis verkocht onder zeilen die niet langer nodig zijn – het is elders gaan regenen en de zon komt tevoorschijn. Lena en Wolf kijken lang naar de bewegingen rond de kaai, een geïmproviseerd ballet ter ere van de minizomer in februari.

'Ik heb geen zin om Jean op te zoeken, en zijn ouders, en de ouders van Claire. Haarzelf zou ik met plezier willen ontmoeten, hoewel ik haar niet goed ken. Ik heb haar gekend toen ze nog een klein meisje was dat op krabbenvangst ging. Ik weet niet wie ze nu is geworden. Ik heb goede herinneringen aan haar, ze was een oprecht en wat verlegen meisje, ze kon heel hard lopen en goed zwemmen. Veel herinneringen zijn dat niet.'

'Wat zou je haar zeggen?' vraagt Lena.

'Niets. Ik zou luisteren naar wat ze wilde vertellen, als ze al iets wilde vertellen.'

'Ik ga proberen haar op te zoeken – als ze weten waar ze is. Hebben ze het je gezegd?'

‘Op stap met Léo. Denk jij dat het alleen een manier is om even te ontsnappen, of werkelijk een nieuwe start?’

‘Ik weet het niet,’ zegt Lena, ‘echt niet. Hoe moet ik dat weten? Ik denk dat ze van Jean houdt. Ik denk dat ze ook van Léo houdt. Als Léo bereid was om zich wat in te houden, zou ze bij hem blijven. Misschien.’

‘Aan wie van beiden zou jij de voorkeur geven?’ zegt Wolf terwijl hij even stopt om een van zijn veters opnieuw te strikken.

‘Ik ben niet degene die trouwt,’ antwoordt ze glimlachend.

‘Ik evenmin,’ zegt Wolf. ‘En daarom heb ik ook geen zin om hen te gaan opzoeken. Ik wil geen mening hebben over wat er gebeurt, want anders gaan ze me die vragen, en ik ken mezelf, ik zal het moeilijk hebben om te zwijgen. Ik heb vroeger te veel problemen gehad met mensen die wilden weten wat ik dacht en die me nadien haatten. Je kunt mensen niet gelukkig maken tegen hun zin in, en toch moet je soms ingrijpen als je het gevoel hebt dat het nodig is. Dat hoort bij het leven. Maar omdat ik een babbelkous ben en verhaaltjes vertel, ben ik al vaker terechtgekomen in situaties die niet bepaald prettig waren. Ze hebben me ervan beschuldigd dat ik mezelf tegensprak, dat ik mensen manipuleerde. Ach, God... Ik weet wat ik heb gedaan en ik heb geen spijt van wat ik heb gezegd. Maar als je het van buitenaf bekijkt was het inderdaad paradoxaal en moeilijk om te begrijpen. Omdat wat voor de een goed is, voor een ander slecht kan zijn, omdat mensen verschillend zijn, omdat het gisteren regende maar vandaag mooi weer is... Ik heb het altijd verdomd moeilijk gehad om mijn intuïtie duidelijk onder woorden te brengen, maar kan wat je voelt ooit duidelijk zijn? Nog preciezer zijn is niet voor mij weggelegd, dat is te moeilijk. En misschien ook niet nuttig.'

'Ik snap het. Misschien zul je op een dag wel woorden vinden.'

Als ze opnieuw in de auto zitten, vraagt Lena hoe laat hij wil vertrekken.

'Binnen een uur of twee, drie,' zegt hij. 'Ik heb geen haast, ik heb echt geen zin om hen te zien.'

'Waarom ga je dan?'

'Ik ben een sentimentele en voorzichtige vreemdeling, ik doe mijn best om me goed te voelen op welke plek dan ook, en pas als dat niet lukt, ga ik weg. Maar eerst probeer ik te blijven.'

's Nachts nemen ze dezelfde weg terug die ze een paar uur eerder hebben gevolgd. Lena stelt aarzelend een vraag. 'Het is misschien stom,' zegt ze, 'ik ben bang dat ik een verkeerd woord gebruik, dat je het kwetsend vindt, maar, nou ja, ik vraag me af hoe je bent geworden wie je bent, een zachte man.'

'Heb je een vermoeden?' vraagt hij.

'Niet echt.'

'Het is een vraag die nog niemand me heeft gesteld, en ik heb hem mezelf ook nog nooit gesteld. Het liefst zou ik zeggen dat er geen antwoord is. Het gras is groen omdat het groen is. Maar misschien zou je kunnen zeggen dat er altijd vrouwen in mijn leven zijn geweest en dat ze het merendeel van de grote rollen erin hebben gespeeld. Mijn moeder heeft me leren schrijven, een van mijn grootmoeders heeft me leren kaartspelen, een buurvrouw heeft me leren schaken, en een nicht heeft me de bioscoop laten ontdekken. Geen van hen is op het idee gekomen om de vrouwelijke kant in mij te verdrijven, en ik heb twee manieren van zijn ontwikkeld, alsof ik twee talen had geleerd. Het lastige was dat het even duurde voor ik doorhad welke ik op welk ogenblik moest gebruiken.'

'Wat bedoel je?' vraagt Lena.

'Ik was buitengesloten,' antwoordt Wolf na een lange stilte. 'Ik stond wat aan de zijlijn in de wereld van het werk. Mannen nestelen zich in rollen – en ze komen er niet graag uit. Dat is trouwens hun sterkte. Ik heb daar moeite mee, dat heb ik altijd al gehad. Maar uiteindelijk ben ik tot de bevinding gekomen dat het me eigenlijk heel goed uitkwam en dat ik weinig pogingen heb gedaan om me aan te passen aan die wereld, die toch niet de mijne was.

'Je bent dus een zwakkeling, als ik het goed begrijp,' zegt Lena licht spottend.

'Ja, lach maar,' antwoordt Wolf, 'maar dat heb ik wel jarenlang gedacht. Als mijn vrienden me erop wijzen dat ik veel vriendinnen heb – waarbij ze natuurlijk laten doorschemeren wat je je wel kunt indenken – ben ik nog steeds verbaasd: voor mij is dat de normaalste zaak van de wereld. Ik hou van het gezelschap van vrouwen, ik kan goed met ze opschieten, hun wereld is voor mij geen totaal vreemde wereld geworden. En ik ben niet bang voor ze, wat mijn soortgenoten, zonder dat ze het durven zeggen, onbegrijpelijk vinden. Je kunt je niet voorstellen hoe bang mannen over het algemeen voor vrouwen zijn...'

'Dat kan ik me maar al te goed voorstellen. Denk je dat vrouwen dat niet weten?'

Wolf glimlacht.

'Ik vraag me af hoe jij was toen je achttien was,' zegt Lena, 'het is moeilijk om me dat voor te stellen.'

'Ik vertelde verhaaltjes.'

Wolf doet het raampje open, samen met vlagen frisse lucht komt ook het geluid van de golven de auto binnen.

'Ik heb geen zin om Jean en zijn ouders op te zoeken omdat als ik Jean hoor, ik niet hem hoor maar een verzameling voorgekauwde ideeën. Zijn gevoelens en persoonlijke verlangens zijn vermengd met zoveel dingen die niet van hem komen dat ik er geen wijs uit word.'

Lena zit in gedachten verzonken, ze antwoordt niet meteen als Wolf haar vraagt of ze nog niet genoeg heeft van zijn gepraat.

'Je hebt gelijk: mannen zeggen niet veel over wat ze voelen, ze weten het misschien zelf niet, dat maakt ook hun kracht uit, maar... mijn vader is er nooit in geslaagd om me te zeggen dat hij van me hield. Op een dag is hij onverwacht gestorven, in een auto-ongeval – en ik heb hem erom gehaat, ik was boos op hem omdat hij doodging voor hij iets had gezegd, ik had hem op zijn doodsbed wel kunnen wurgen – om een paar woorden uit hem te wringen. En natuurlijk was de man met wie ik samenleefde uit hetzelfde hout gesneden... Maar dat is niet belangrijk. Een paar maanden geleden is er iets geweldigs gebeurd... Ik maakte een reis door de Verenigde Staten. Ik wist dat mijn vader een Amerikaanse vriend had, ik had hem even gezien bij de begrafenis en hij had me gezegd dat ik maar moest langskomen als ik op een dag in Boston was. Ik ging hem dus opzoeken. Hij vertelde me over mijn vader. Ze hadden elkaar leren kennen aan het eind van de oorlog en ze waren elkaar geregeld blijven schrijven. Harry was blij dat hij over mijn vader kon praten, hij ging de brieven halen en ik was er erg gelukkig mee, want het waren lange brieven en ze bewezen dat mijn vader dingen te zeggen had, dat hij niet leeg was vanbinnen. En toen...'

Lena huilt, ze huilt dikke tranen. Wolf zet de auto stil aan de kant van de weg, hij pakt Lena's hand vast en zegt niets.

'En toen,' zegt ze, 'heeft Harry me brieven laten zien waarin mijn vader het over mijn moeder, mij en mijn broers had. En ik ontdekte, ik begreep dat mijn vader van mij hield zoals ik van hem. En ik was tegelijk ontzettend gelukkig en droevig. Ik besefte dat hij had willen *zeggen* wat hij voelde, zoals hij dat had gedaan met zijn gebaren toen ik een kind was.'

Ze droogt haar tranen af en vindt haar eeuwige glimlach terug.

'Ik had graag nog een paar dagen meer met jou doorgebracht, ook al ben je niet de man die...'

'De man van je leven?' zegt Wolf.

'En ik ben niet de vrouw die jij nodig hebt. Het zou mooi zijn geweest, maar het is niet zo. We weten dat allebei.'

'Ja,' zegt Wolf. 'Maar als ik weg ben, zal ik tegen mezelf zeggen dat het jammer is en dat onze horloges dezelfde tijd hadden kunnen aanwijzen. En als ik voor één keer eens verstandig ben, zal ik niet te veel proberen aan mezelf uit te leggen waarom ze dat niet deden. Ik was ook nog graag wat bij jou gebleven. Maar het zou mijn vertrek alleen nog moeilijker maken, ik ken mezelf.'

Wolf stuurt de wagen weer de weg op. Als hij bij de villa komt, vertraagt hij. 'De vader van Jean,' zegt hij terwijl hij naar een auto wijst. 'We zullen nu ernstig moeten zijn.'

Hij glimlacht en Lena knijpt heel hard in zijn hand.

'Dan zeg ik je nu vaarwel. Goede reis, veel geluk,' fluistert ze in zijn oor.

Jeans vader heeft de motor gehoord, hij komt naar buiten en loopt naar hen toe.

'Goede reis,' antwoordt Wolf.

LENTE, BIJNA ZOMER

Epiloog

I

De dagen werden weken, de weken maanden, de tijd had zich weer in beweging gezet. Lena, die een poosje bij een zus had ingewoond die met een gebroken knie van wintersportvakantie was teruggekomen, vond pas met veel vertraging de brief die Wolf haar had geschreven. In die brief vertelde hij over zijn tocht de nacht na hun verblijf aan de kust.

'Ik heb met een storm gereisd,' schreef hij, 'en zonder me te willen beklagen kan ik toch wel zeggen dat er aangenamere reisgenoten zijn – maar deze heeft me afgeleid door me te dwingen me voornamelijk op de weg te concentreren.' Bij zijn aankomst had hij Jean gezien, die al een nieuwe muur van stilte om zich heen had opgetrokken en die net een nieuwe baan had aangenomen, in een medisch lab in Genève.

In de envelop zat ook een tekstje dat Wolf had geschreven en aan Lena cadeau deed, 'meer een melodie dan wat ook, maar misschien een melodie die je iets zal zeggen'. Hij stuurde haar veel liefs, wenste haar duizend mooie dingen toe en schreef dat hij blij zou zijn iets van haar te horen.

De tekst had een titel: 'Drieëndertig jaar en een gedicht, na de kaap van de stormen.' Ze las hem hardop:

'De auto gleed door de nacht van rustige wegen in de regen en ik nam de perfecte piramide van melodieën met me mee. En als het daar nu eens was, dacht ik, alleen maar daar dat het leven zich bevond, daar en in het geronk van de motor en het anonieme geraas van de stad? Wat de mensen zeiden en wat je over de mensen kon zeggen, ach God, dat of de wind... En ik de baas, de baas van niets, ik ging weldra dobbelen met de liefdes wier herinnering een spoor zou nalaten, en me misschien vrolijk maken over het hart dat klopt, fijne goudschilfertjes diep in de ogen. De magie was wellicht nog niet uitgewerkt maar ik was moe. Op mijn strakgespannen huid als van een mummie die was teruggekeerd uit een tijdperk waarin farao's eeuwig jong bleven en koninginnen onsterfelijk, getuigde de baard die ik die ochtend niet had geschoren van de wrange, lelijke waarheid die voor de mooie komt.

Toen liet ik een bittere dag achter me, die lange, kronkelige en duistere dag die jaren had geduurd, meer dan eens had ik een voornaam in de beslagen voorruit geschreven, vaak met zorg en nooit zonder passie. Zoveel hoop, de hoop ook dat het zou blijven duren, en daarna had de voorruitverwarming de mooie letters en het lichte beven van de vingers die ze hadden getekend uitgeveegd, hoe krenterig was dat toch geweest, en hoe banaal in feite, en menselijk, en hoe moest ik dus nog in wie of wat dan ook geloven... In een paar stukken had ik gelukkig nobele rollen gespeeld, maar ik had ook lelijke gespeeld, en misschien nog erger was het feit dat je door aanhoudend van het ene verhaal in het andere te rollen op den duur het gevaar liep niets meer te zeggen te hebben, behalve dan in kunst, en dat al de rest decor werd, decor en puin.

Ik die zo vaak de waarheid had gezegd en me nog vaker had vergist, ik die zo had gezocht en ook had gevonden, maar elders dan waar ik zocht, en die was blijven zoeken – wat kon ik met dat alles doen, of zelfs maar erover zeggen? Ik glimlachte en natuurlijk kwam dat door het optellen van al die verkoelde verlangens, de authentieke en de opgelegde, en door tegen mezelf te zeggen wat een knoeiboel, maar heb ik me voor een gevangene niet meer dan eens goed geamuseerd? Natuurlijk had ik veel vroeger in het leven kunnen begrijpen... Maar wat doet het ertoe, ik kende alleen de regen als een watervloed en bovenal het verlangen om te zeggen ik hou van je, die meest onmogelijke woorden, en ze tegen jou te zeggen, jou die ik amper kende en die er was op een ogenblik waarop uiteindelijk het dolle leven aan de rand van afgronden en op strakgespannen koorden had kunnen eindigen.

Zou ik me niet nog een keer vergissen, te veel of te weinig zeggen, of heel dicht bij jou lopen en toch aan je voorbij? In die verschrikkelijke, in één woord onvoorstelbare regen, dreigde de motor stil te vallen en dus liet ik me naar een lichtpunt glijden aan de kant van de weg die een rivier werd. De man die de nacht verlichtte en olie en benzine verkocht, zei me dat ik wat moest wachten tot de stortvloed ophield want dat er geen twijfel mogelijk was dat het nadien dag zou worden.

Die dag heb ik niets geschreven op de beslagen ruit, en ik wist dat ik gelukkig was, gelukkig omdat ik liefhad, en dat dáár het leven lag, in de liefde, eer het op een dag zou terugkeren naar de schitterende en definitieve ruis van de zee.'

Lena antwoordde Wolf met een paar woordjes op de achterkant van een ansichtkaart. Het was een zwart-witfoto van Sonny Rollins op het wegdek van een brug in New York. 'Ik hou erg van je gedicht,' schreef ze, 'en je zult wel begrijpen dat het mijn grote genegenheid voor jou is die me van commentaar ontslaat. Zorg goed voor jezelf. De tijd is een vriend – zoals je weet. Met mij gaat het goed, ook al weegt het verleden soms nog op me; maar het wordt een ver verleden, dankzij een welbepaald nabij verleden dat me opnieuw de smaak van serene dagen heeft geleerd. Bye bye, sentimentele zwerver!'

II

De tijd bleef voorbijgaan, vol verhalen voor wie een romantische blik heeft, en onbetekenende voorvallen voor de anderen. Wolf publiceerde een verhalenbundel en stuurde hem naar Lena. Hij had schik in het maken van de kanttekeningen die hij erbij krabbelde, ontboezemingen bij de verhalen. Laat op een avond belde Lena hem; ze had het boek met veel plezier gelezen, en de handgeschreven aantekeningen hadden haar tot tranen toe doen lachen. Toen ze hem vroeg waarom hij dat soort dingen niet publiceerde, antwoordde hij dat er te veel mensen waren die ze niet verdienden, en dat hij toch niet het beste van zichzelf zou geven aan onbekenden en de rest bijhouden voor zijn boezemvrienden. Daar moest ze opnieuw hard om lachen. Daarna vertelde ze wat nieuwtjes over zichzelf. Ze had weer werk gevonden, en vooral, ze had iemand ontmoet. 'Ik kan er niet over praten,' zei ze, 'maar ik wilde het je wel zeggen, ik vertel er tegen niemand anders iets over, wat dat betreft ben ik misschien wat bijgelovig geworden.'

Ze babbelden nog wat en Wolf wenste Lena goede moed, en omdat ze zich daarover verbaasde, zei hij dat er toch wel een beetje moed nodig was om niet weg te lopen van de liefde, die vaak angst aanjaagt als je haar niet meer gewend bent in je leven. Ze zeiden gedag. En langzaam bleven de grijze dagen zich verwijderen.

III

Het tweede gedicht van Wolf ging haast verloren. Lena was verhuisd, en de vriendin die haar appartement had overgenomen, reisde een paar weken lang met de brief onder een stoel in haar auto. De brief deed Lena vermoeden dat Wolf woelige tijden achter zich had – en dat hij optimistischer was dan ooit, zoals iedereen die liever denkt aan wat hij zal vinden dan aan wat hij heeft verloren. De titel van de tekst luidde 'Aan de oever van de rivier' en Lena las de tekst meermaals:

'In de Tuinen van het Paleis, op twee passen van de rivier, liggen negen dode muggen in een onvolledige cirkel op de witte randen van een goot, helemaal beneden, in de toiletten van de laatste kelderverdieping. Terug naar de bovengrond – grijs op lichtgrijs – en de wind blaast hard, buiten hoor je de metalen vlaggenstokken klapperen, het betekent niets, een paar insecten die zonder reden zijn doodgegaan, en de wind zegt al evenmin iets. Hij heeft gedurende de hele reis aan de auto geschud, hij heeft niet gewonnen, hij wilde alleen spelen – maar mijn hoofd suist er nog altijd van, de omgeving trilt als ik er mijn aandacht op probeer te richten, en ik vind dat grappig, het gaat wel over.

Ze was mooi als de zomer waar je in de lente op wacht, de jonge vrouw die me wees waar de weg eindigde, een studente, dacht ik toen ze preciseerde: onder de rivier langs, ga opnieuw onder de rivier en je zult er komen. En ik ben aangekomen. Op tijd voor mijn afspraak, zelfs een beetje te vroeg, en zoals andere gehaaste mensen die allerlei dingen bedenken voor een paar momenten gestolen rust, ben ik ergens op m'n eentje gaan zitten, bij een raam zonder uitzicht op het water.

Op een paar meter van mij zitten wat rustige oude mensen net zoals ik koffie te drinken, ik hoor hen namen van slaapmiddelen en verhalen over slapeloosheid uitwisselen, ik zou van hen kunnen houden, er zijn van die dagen, het is de keerzijde van de liefde, onmogelijk om te lachen en evenmin in staat om te verafschuwen. De serveerster die me verstrooid papier heeft gebracht, ijsbeert door deze vreedzame tuinen zonder planten zonder haar verveling weg te stoppen. Ik wilde een paar dingen opschrijven over de geschiedenis van de stilte en opeens heeft het niet het minste belang meer. Op een dag, lieve vrienden, zullen we elkaar niets meer te zeggen hebben, en zelfs ik, de kletskous, zal zwijgen, maar moeten we er dan nu al mee beginnen en ons beperken tot de muziek van de woorden die alleen stroomt, zoals het gedruis van de rivier? Ik weet het niet meer, ik weet het echt niet, maar er zijn dagen – zoals de minst oude van de mompelende oudjes zegt – er zijn van die dagen.

In de ruit weerspiegelt zich iets draaiends, het lijkt wel die tiende en laatste mug. Of misschien, als bij wonder – wie weet? – de belofte van een nieuw verhaal. Ik sta op.

Ik sta op. Ik vertrek.’

IV

Voor zijn volgende verjaardag kreeg Wolf een ansicht met daarop een foto van William Claxton die 'Times Square, New York, 1960' heette en een glimlachende vrouw liet zien, een vrouw die achter een spelende saxofonist staat die ze stevig tegen zich aandrukt. Onder haar hartelijke gelukwensen had Lena een zinnetje toegevoegd dat Wolfs ogen deed glinsteren: 'We zijn met z'n tweeën en ik denk dat we binnenkort met z'n drieën zullen zijn.'

Wolf antwoordde nog dezelfde dag dat ze het niet zou geloven maar dat ze ongelijk zou hebben want dat het de zuivere waarheid was: hij was aan een brief voor haar bezig toen de postbode haar kaart bracht. Hij schreef haar dat hij ging trouwen.

Een jaar later zagen ze elkaar weer en ze brachten twee uur door op het zonovergoten terras van een café, zonder veel te praten. Toen ze afscheid van elkaar wilden nemen, dreven er witte wolkjes in de richting van de zon die stilaan begon te dalen.

'Mooi als het buikvel van een jonge luipaard,' zei Lena glimlachend.

'Zeker weten,' antwoordde Wolf.

Brussel, maart 1990

Voor Dominique, mijn allerbeste broer.

Met dank aan Hélène Hiessler, Camille Babea en Marion Tissot, die me kostbare hulp hebben gegeven bij het herzien van deze 'Wat je 's nachts zegt...'

Dank ook aan Xavier Hanotte, die van dit boek bleef houden toen ik dat niet meer deed.

F.D., januari 2006

Uitgegeven met de steun van Service de la Promotion des Lettres van de Communauté française de Belgique.

De vertaler ontving steun van het Vlaams Fonds voor de Letteren.

© 2006 – **Francis Dannemark**
Nederlandse vertaling: © Hilde Keteleer & Uitgeverij Vrijdag
Sint-Elisabethstraat 38a – 2060 Antwerpen
www.uitgeverijvrijdag.be

Oorspronkelijke titel: *Choses qu'on dit la nuit entre deux villes*
Oorspronkelijke uitgever: Robert Laffont, 1991; Le Castor Astral, coll. « Millésimes », 2006

Omslagontwerp: Studio Mulder Van Meurs, Amsterdam
Zetwerk en lay-out: Karakters, Gent

NUR 302
ISBN 978 94 6001 019 4
D/2009/11676/16

Niets van deze uitgave mag door middel van elektronische of andere middelen, met inbegrip van automatische informatiesystemen, worden gereproduceerd en/of openbaar gemaakt zonder voorafgaande schriftelijke toestemming van de uitgever.